Dans la même série :

Pomelo est bien sous son pissenlit
Pomelo est amoureux
Pomelo rêve
Pomelo se demande
Pomelo s'en va de l'autre côté du jardin
Pomelo voyage
Pomelo grandit
Pomelo et les contraires

22, rue Huyghens, 75014 Paris – www.albin-michel.fr
Loi 49-956 du 16 juillet 1949 sur les publications destinées à la jeunesse
Dépôt légal : second semestre 2011
N° d'édition : 19882 – ISBN-13 : 978 2 226 23097 3
Imprimé par Pollina s.a., Luçon, France - L58027

Pomelo

Ramona Bădescu

Benjamin Chaud

et les couleurs

ALBIN MICHEL JEUNESSE

Quand tout lui semble
noir ou blanc,
Pomelo regarde
autour de lui
et redécouvre soudain...

le blanc blanc
de la page blanche

le blanc infini
de l'hiver

le blanc mousseux
du lait chaud

le blanc rassurant
du Pissenlit

le blanc de l'œil

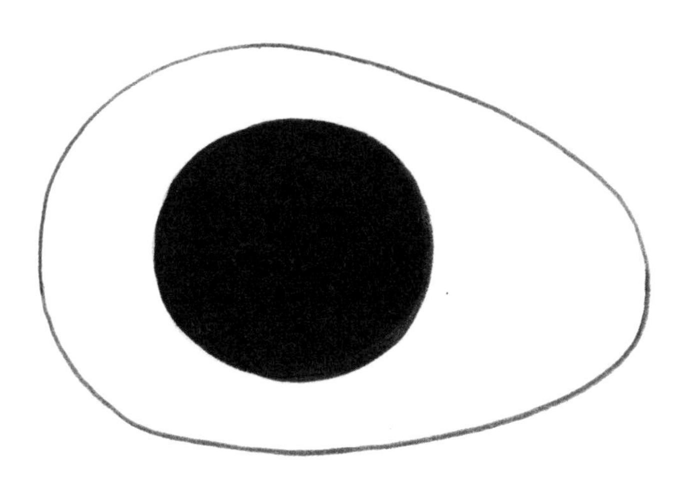

et le blanc de l'œuf

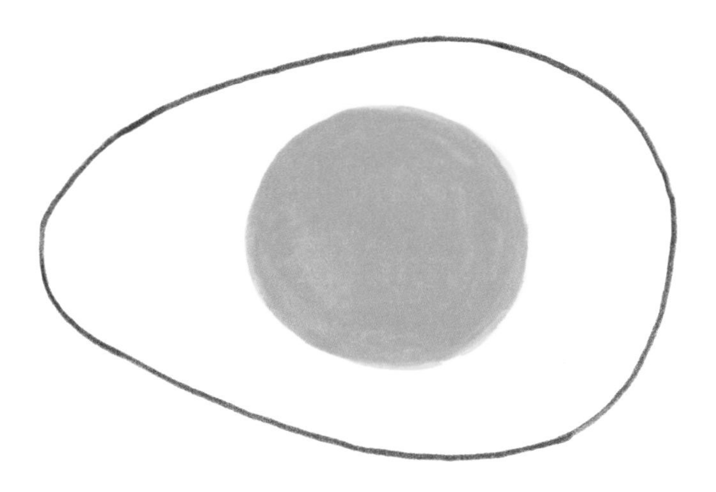

(qui sont presque la même chose)

le jaune jamais
pareil du pipi

le jaune banane
des Patates

le jaune aveuglant
du midi

le jaune acidulé
du citron

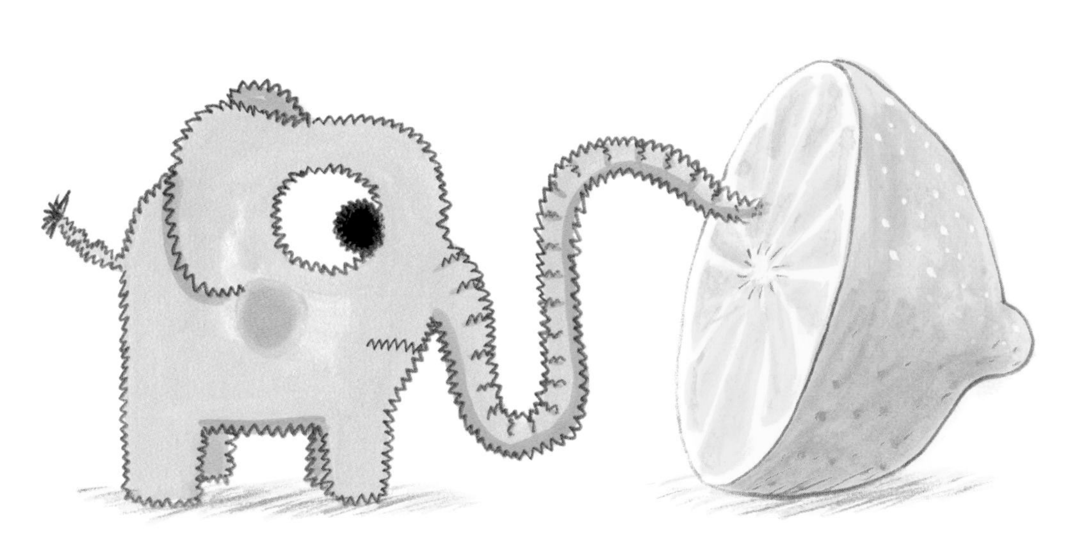

le jaune fluorescent
des vers luisants

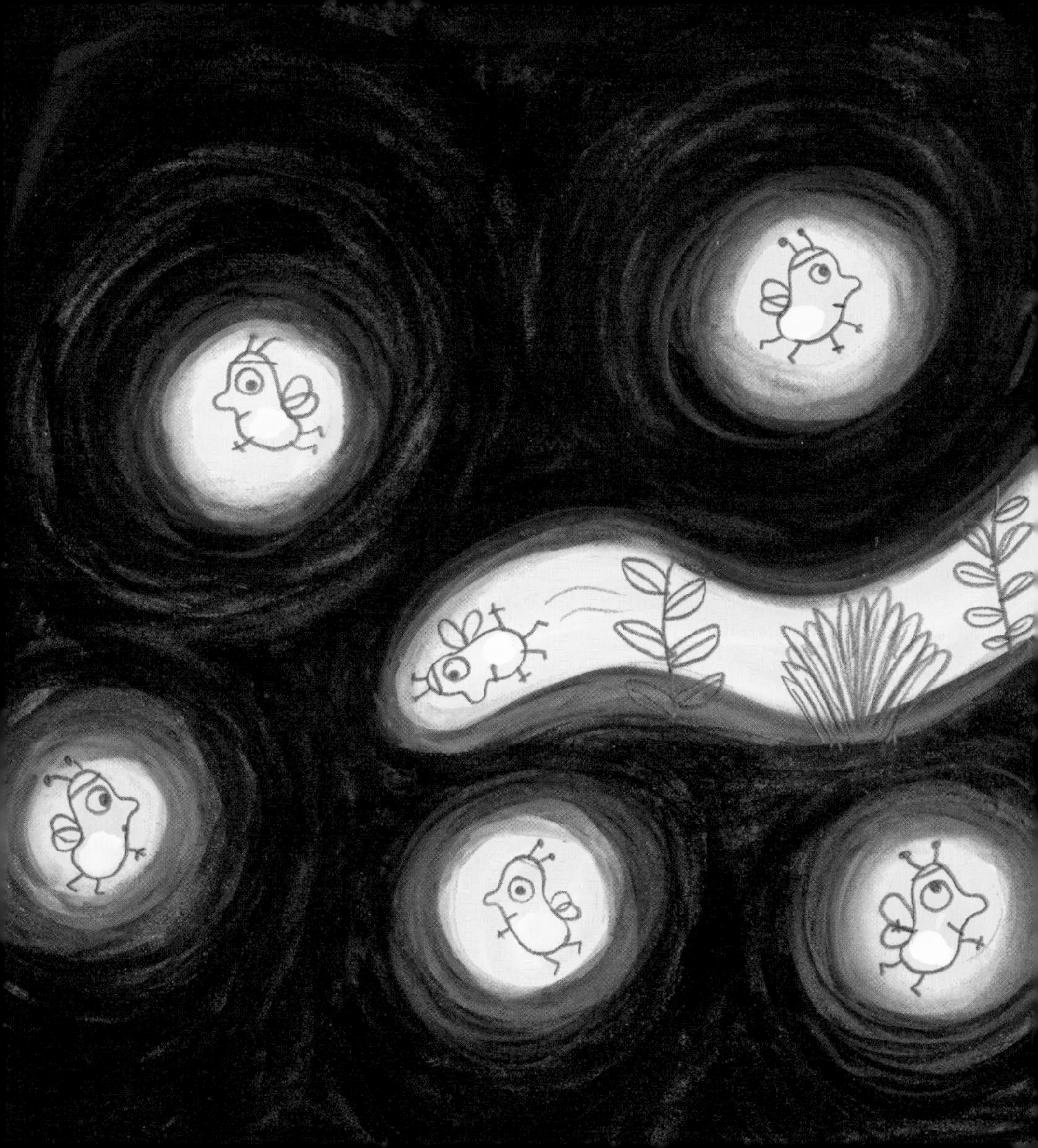

le jaune moutarde
qui monte au nez

le jaune canari
cui-cui

le jaune plop
du Pissenlit

le orange du jour
qui s’en va

le orange angoissant de l'automne

le orange râpé
des carottes

le orange expérimental de la moquette

le véritable orange
de l'orange

le rouge
d'une promesse

le rouge hypnotisant de l'amour

le rouge surprenant
des tomates

le rouge éclatant
de la colère

le rose cul-cul la praline du bonheur

le rose absolu
des fesses de Pomelo

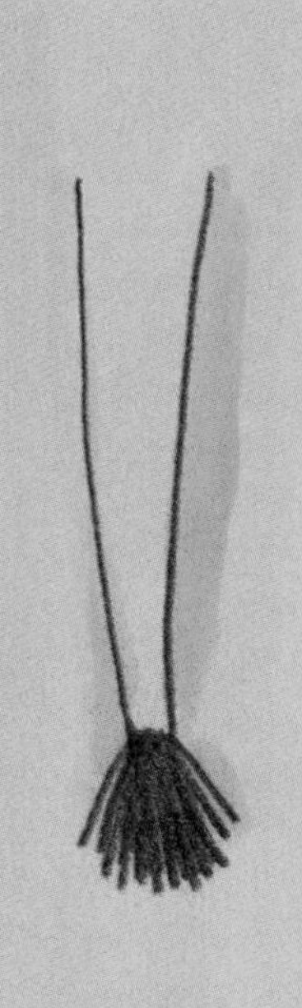

le rose des salades,
si seulement
elles voulaient

le marron
tout bête
de la terre

le doux marron
des marrons

le marron
inimitable de Gigi

le violet insondable de l'aubergine

le mauve étourdissant
de la lavande

le violet révélateur des myrtilles

le fuchsia qui ne sert à rien
sauf aux navets

le violet de Pomelo
s'il était une mémé

le violet invisible des ultraviolets

le bleu
des rêves

le bleu
mouvant du ciel

le bleu
glacé de l'hiver

le bleu
éteint de la nuit

le bleu obscur
de l'Inconnu

le bleu-vert
de l'eau

le vert parfait
des petits pois

le vert coucouroucoucou
de Rita

le vert
de quand on n'y arrive pas

le vert bouleversant du printemps

le vert
tout court

le vert rebondissant de la mousse

le vert immobile
des sapins l'été

le vert caca d'oie
d'après la pluie

le vert-de-gris
du pourri

le gris raplaplatissant
de la déception

le gris inconcevable de l'éléphant

le gris hachuré d’un crayonné

le gris
de l'oubli

le gris fatal
d'un caillou

le gris mouillé
de la pluie

le noir parfait
lisse et brillant
du mystère

le noir
de l’aventure

P

le noir
de la fin

Pomelo est alors
rosement content
d'être lui aussi
une couleur
dans ce monde
multicoloré.

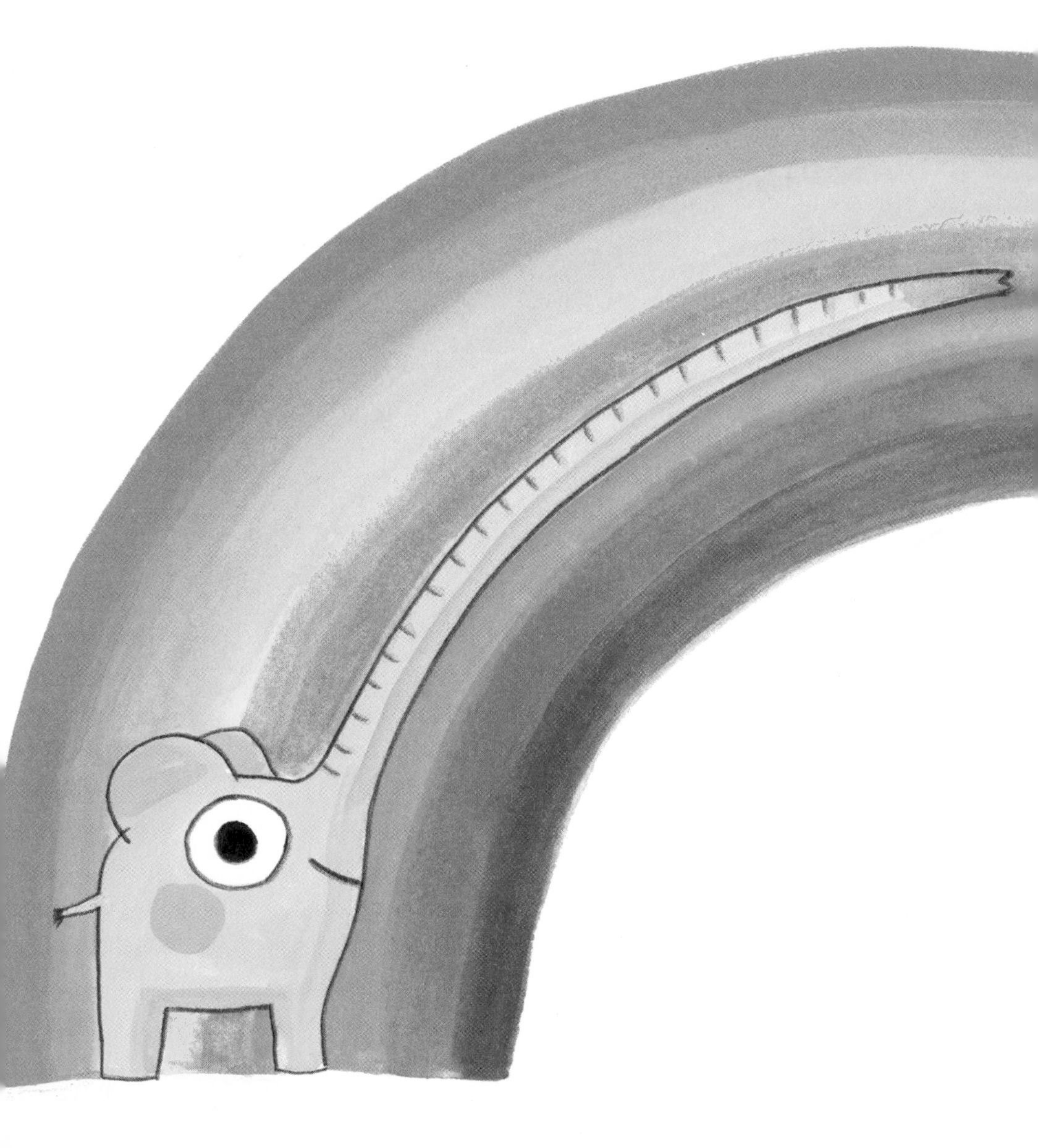